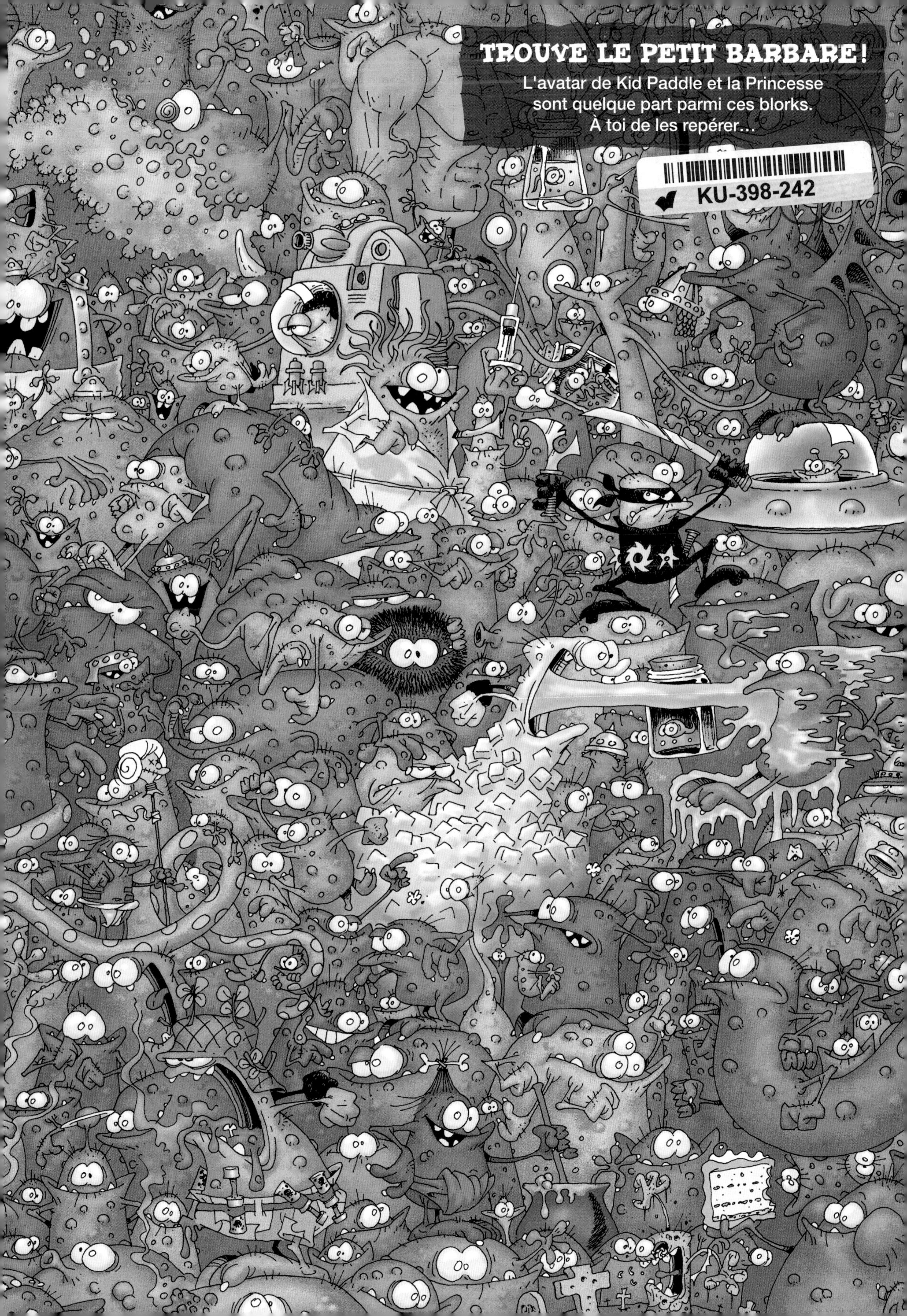
TROUVE LE PETIT BARBARE!
L'avatar de Kid Paddle et la Princesse sont quelque part parmi ces blorks. À toi de les repérer...

# YES, I CAN!

DESSIN : MIDAM, ADAM ET JULIEN MARIOLLE
SCÉNARIO : MIDAM ET PATELIN
COULEURS : ANGÈLE

MAD FABRIK

www.midam.be — www.kidpaddle.com - www.gameoverforever.com

Dépôt légal : novembre 2013 — D/2013/12.212/4
ISBN 978-2-9306-1854-8 — NUART 65-6892-7


Achevé d'imprimer en France en février 2014 par Pollina, L67759,
sur papier provenant de forêts gérées de manière durable.

CRRRCH

G403 MIDAM. ADAM. PATELIN

game over

BLORK

BLORK

DZING

EXIT

G404 MIDAM - ADAM - PATELIN

DZING

EXIT

KROAK
KROAK
EXIT

KSSSSSSSSSSS

EXIT
G405

GAME_OVER
MIDAM
ADAM
PATELIN

EXIT

WOUF
WOUF

FFFFFFFF

FFFFFFFF

HA
HA

MIDAM - ADAM - PATELIN
G406

GAME OVER

GAW
G407
MIDAM-ADAM-PATELIN

Game over

BLORK
CLAC
CLAC
BLORK
BLORK
CLAC
CLAC
BLORK

CLAC
CLAC
CLAC

CRAK

TCHAC
SPROTCH

SCRACH
SNAP
SNAP

?

SPROTCH
BLORK?
MIDAM · ADAM · JULIEN · PATELIN
G410

GAME
OVER

?

ZAAP

?!!?

HÉ !
SNAP

ZAP

ZAAP

BLORK

FLAP
FLAP
SNAP

ZAAAP

MIDAM - ADAM - JULIEN - PATELIN
G409

GAME OVER

CLIC
CLIC
CLIC

TIC TIC
TIC TIC
TIC TIC
TIC

!
VLAM
BONK

STAB

AARG
MIDAM-ADAM-JULIEN-PATELIN
6408

?

FFF
STUK

BLORK

FFFF
STUK

BONK

HEY!
?

HÉ
SNAP

!!!
FFF

♫?

Game Over
MIDAM-ADAM-JULIEN-PATELIN G411

EXIT

BLORK

WIZZZZZ

EXIT
G419 MIDAM.ADAM.PATELIN

GAME
OVER

BLORK!

Hullllulu!

?

WAOW
MIDAM_ADAM_PATELIN
G413

GAME
OVER

EXIT
BÊÊÊÊÊEH

YOOHOOooo!

HOP

BÊÊÊÊÉÊH!

G414A

WAAAAAAH

zzzZZZzzzz

zZZZZZZzzz
zzZZZZ
GAME
OVER
G414B MIDAM_ADAM_PATELIN

FLOP

POF

HIIIIIIIIII

?
KAYAAAAAA

G415 MIDAM - ADAM - PATELIN
PFIOUUUU

GAME

OVER

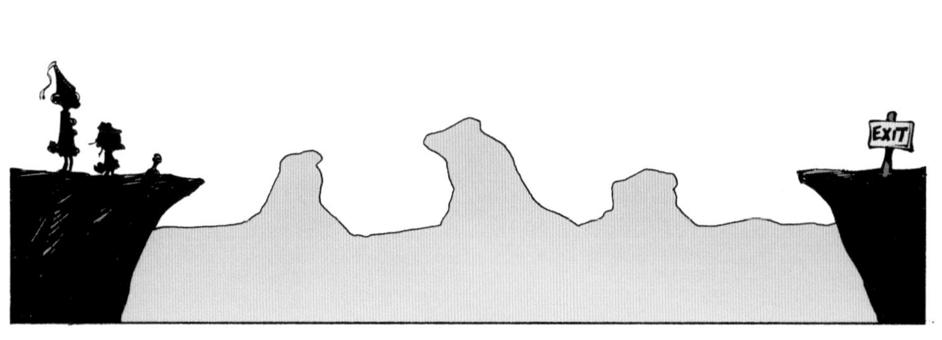
EXIT

POF

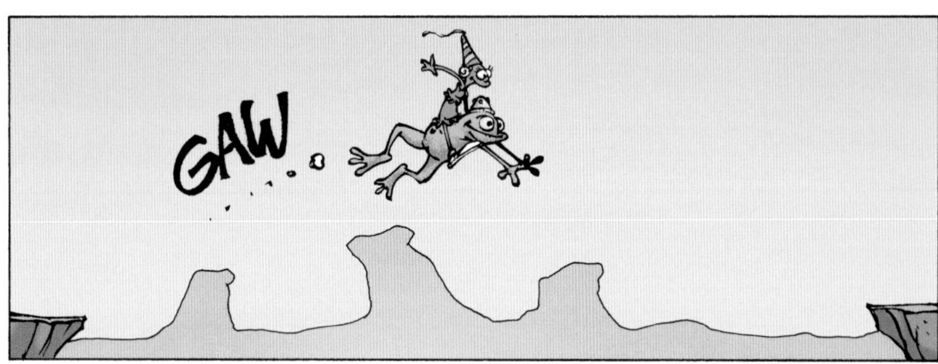
GAW

CLAP
CLAP

BOP
CROÂÂ!

G416 MIDAM-ADAM-PATELIN

AME
VER

GRENADES !
EXIT

PLOUF

BAOUM

FLOC

Hiiiiiiiii!!!

AAAAAAARGGGGGLLLL
G424 MIDAM_ADAM_PATELIN

GAME
OVER

GLOP
GLOP
POF
HOUBA!
CLAC
BRRRRRR
BRRRRRRRRR
G418 MiDAM_ADAM_PATELiN
HOUBA!

BAOUM

EXIT

EXIT

BAOUM
?
BAOUM
MIDAM-ADAM-JULIEN-PATELIN
G412

GAME OVER

EXIT

BLORK!

WIIIIIIZZZZZZ
POF

G421 MIDAM - ADAM . PATELIN

GAME
OVER

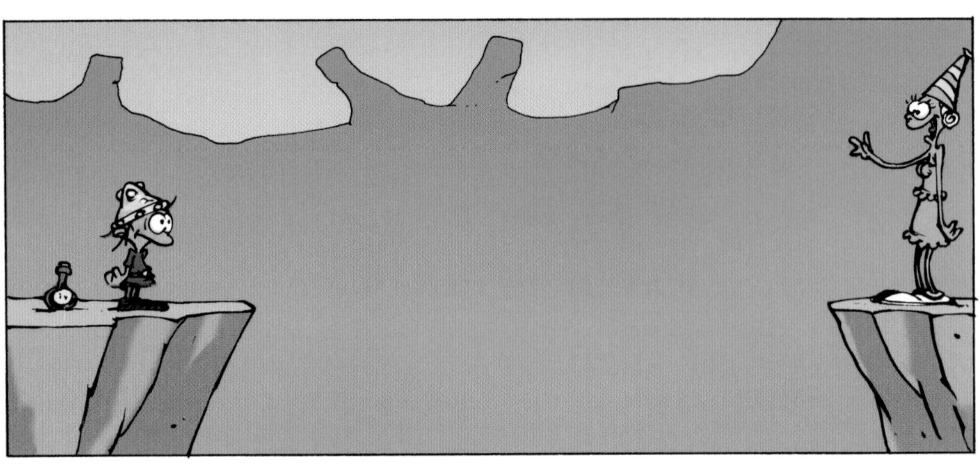

GLOP

PLOP
PLOP
PLOP
PLOP
PLOP

GO!
G420A

HOP

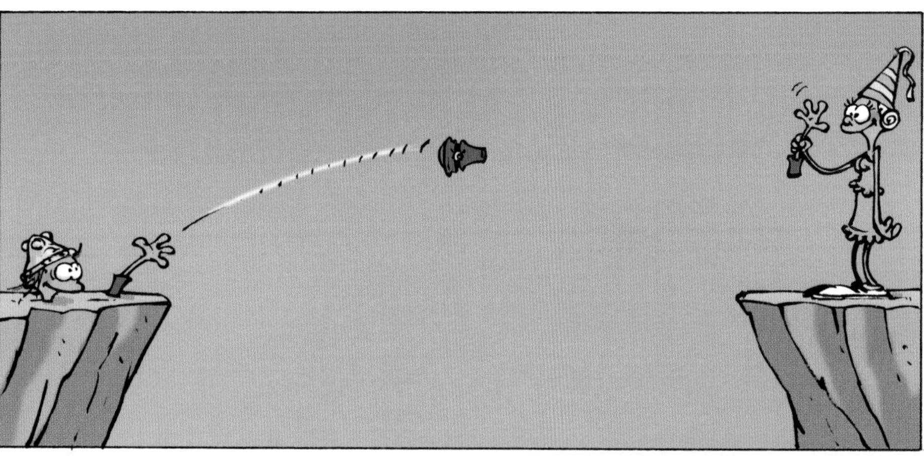

GAME
VERO

HMMMPF

SPROTCH
SPROTCH
SPROTCH

OLÉ!

BYE!
EXIT

HMMPF
BYE BYE!
GLP

SPROTCH
SPROTCH
SPROTCH
EXIT
G422
MIDAM-ADAM-PATELIN

GAME OVER

BLORK!

GNAP

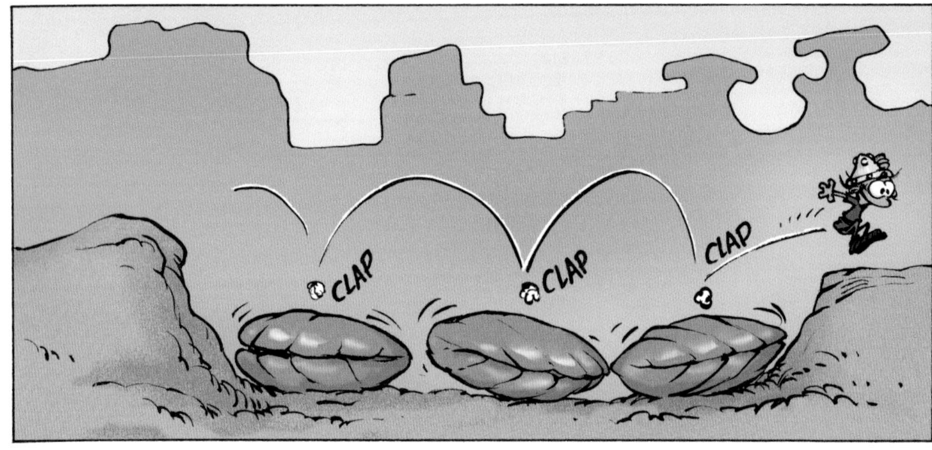
CLAP
CLAP
CLAP

PFOUU

PTOU

G423 MIDAM_ADAM_PATELIN

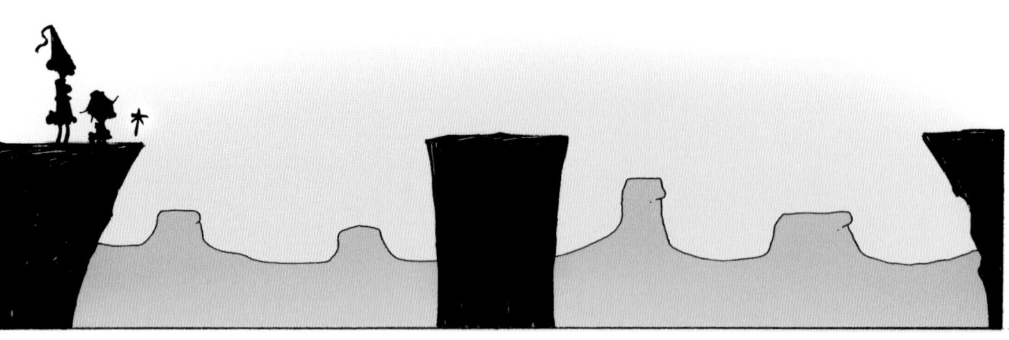

DZIIIING
POF!

GAW

GAW

KISSSSS

POF

EXIT
G417 MIDAM . ADAM . PATELIN

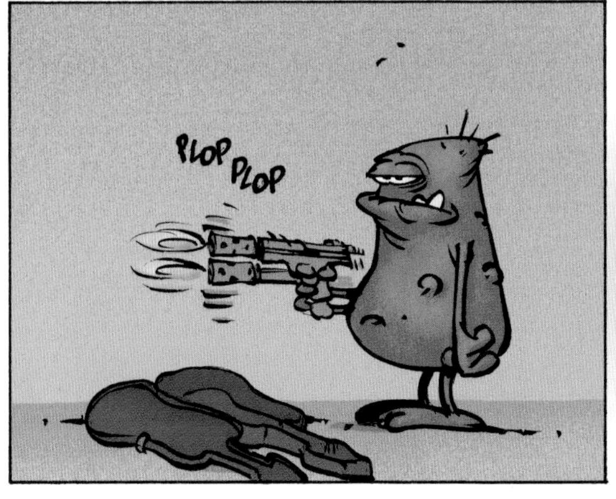

G425 MIDAM-ADAM-PATELIN

GAME OVER

G426 MIDAM_ADAM_PATELIN

G427 MIDAM _ ADAM _ PATELIN

EXIT

EXIT

TILT

SHAKE
SHAKE
SHAKE

FLOOOOSHHHH

EXIT

YES

GLOP
GLOP

HAAAAAAAAA

BU-URRPP
game over
6428 MIDAM-ADAM-PATELIN

GAME OVER

HIIIIIIIIII
RROWRR

ROWRR
CLASH
RRGHGH

CLASH
RAWRR

CLASH

HIIIIIIIIII!
GNAP
G430 MIDAM_ADAM_PATELIN

GAME
OVER

EXIT

EXIT

...

GROIN
EXIT
G431 MIDAM . ADAM . PATELIN

GAME OVER

FLAP
FLAP
GA
GA
Cool!

FLAP
FLAP

FLAP
FLAP

TADZAAA

FLAP
FLAP
?

OUIIIINNNNN
G432 MIDAM_ADAM_PATELIN

?

GAME OVER

TILT

TADZAAAA!!

?

BURPS
TADZAAAA!
GAME OVER
MIDAM_ADAM_PATELIN G433B

RIP

RIP
RIP

.....
BLOOOORK

TCHAC

TCHAC
TCHAC
TCHAC

TCHAC

!
POF

PUNCH

MIDAM
ADAM
PATELIN
G434

MINES

?
MINES

MINES

MINES

MINES

Hop
Hop
Hop
MINES

MINES

MINES
BAOM

GAME OVER
G435 MIDAM.ADAM-PATELIN

?

GAME
OVER
G436 MIDAM.ADAM_PATELIN

FLOOOSHH
FSSCCHH

HOP

KISSS

HIIIIIIII
FLOOOOOSHH

G437 MIDAM _ADAM_PATELIN

GAME OVER

BLOB

Hiiiiiiin!

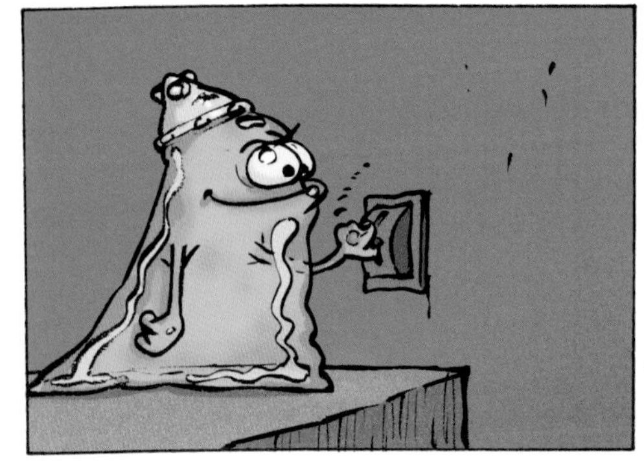

BLAM

G438

?
MIDAM_ADAM_PATELIN

GAME

SOK
SOK

POF
POF
POF

KISS
KISS

G439 MIDAM.ADAM.PATELIN

GAME OVER

BLORK
BLORK
BLORK
BLORK

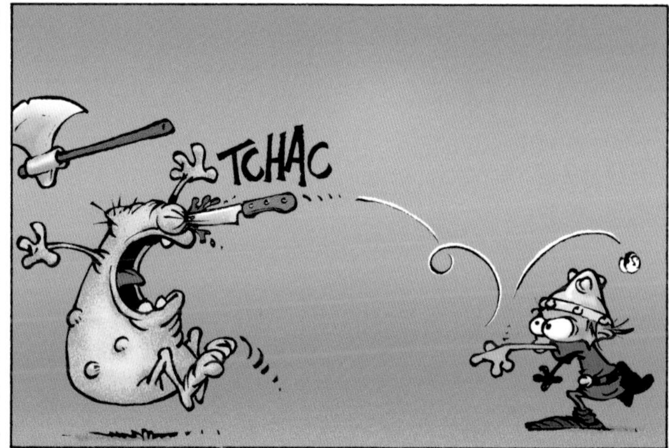
TCHAC

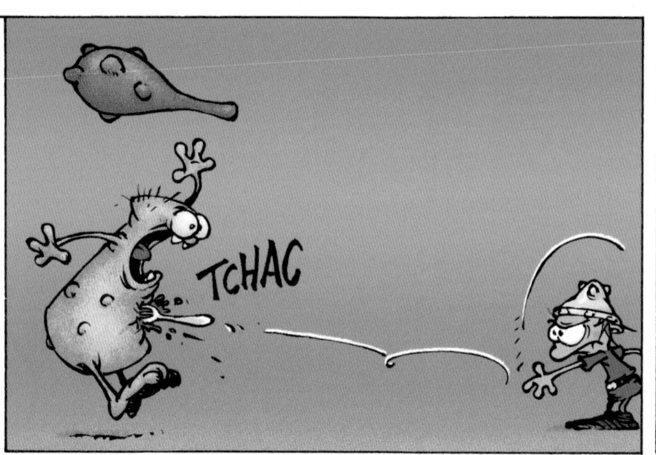
TCHAC

?
POK
G440 MiDAM-ADAM-PATELiN

GAME OVER

GLOP
POF
KLANG
CUT
?
SKRUNCH
G441 MIDAM_ADAM_PATELIN
GAME OVER

GLOP

PSSSSSSS

COOL!
FSSSCHHHHH

G4H2 MIDAM. ADAM. PATELIN
FSSSCHHHH

GROÏNK

GAME
OVER

Box "Yes, I Can !", titre proposé par Jérôme Fabreges

Couverture en couleurs directes par Midam

Croquis d'Adam gag 430, p

Croquis d'Adam gag 405, page 5

Corrections de Midam

Gag 411, page 11 Julien Mariolle

Gag 410, page 8 Julien Mariolle

Corrections de Midam

Scénario de Patelin 295 page 36

Scénario de Patelin 292, page 42

# Du même auteur

## KID PADDLE

TOME 1 – JEUX DE VILAINS
TOME 2 – CARNAGE TOTAL
TOME 3 – APOCALYPSE BOY
TOME 4 – FULL MÉTAL CASQUETTE
TOME 5 – ALIEN CHANTILLY
TOME 6 – RODÉO BLORK
TOME 7 – WATERMINATOR
TOME 8 – PADDLE... MY NAME IS KID PADDLE
TOME 9 – BOING ! BOING ! BUNK !
TOME 10 – DARK, J'ADORE !
TOME 11 – LE RETOUR DE LA MOMIE QUI PUE QUI TUE
TOME 12 – PANIK ROOM
TOME 13 – SLIME PROJECT

HORS SÉRIE – MONSTERS
HORS SÉRIE – CHERCHE & TROUVE

## GAME OVER

TOME 1 – BLORK RAIDER
TOME 2 – NO PROBLEMO
TOME 3 – GOUZI GOUZI GOUZI
TOME 4 – OUPS !
TOME 5 – WALKING BLORK
TOME 6 – SOUND OF SILENCE
TOME 7 – ONLY FOR YOUR EYES
TOME 8 – COLD CASE Affaires Glacées
TOME 9 – BOMBA FATALE
TOME 10 – WATERGATE
TOME 11 – YES, I CAN !

HORS SÉRIE – GAME OVER FOREVER
HORS SÉRIE – GAME OVER THE ORIGINS

## GRRREENY

SORS TES GRIFFES POUR TA PLANÈTE
TOME 1 – VERT UN JOUR, VERT TOUJOURS
TOME 2 – UN CADEAU DE LA NATURE

Pour tout savoir sur

**KID PADDLE, GAME OVER & GRRREENY**

suivez MAD Fabrik sur Facebook et Twitter

www.kidpaddle.com
www.gameoverforever.com

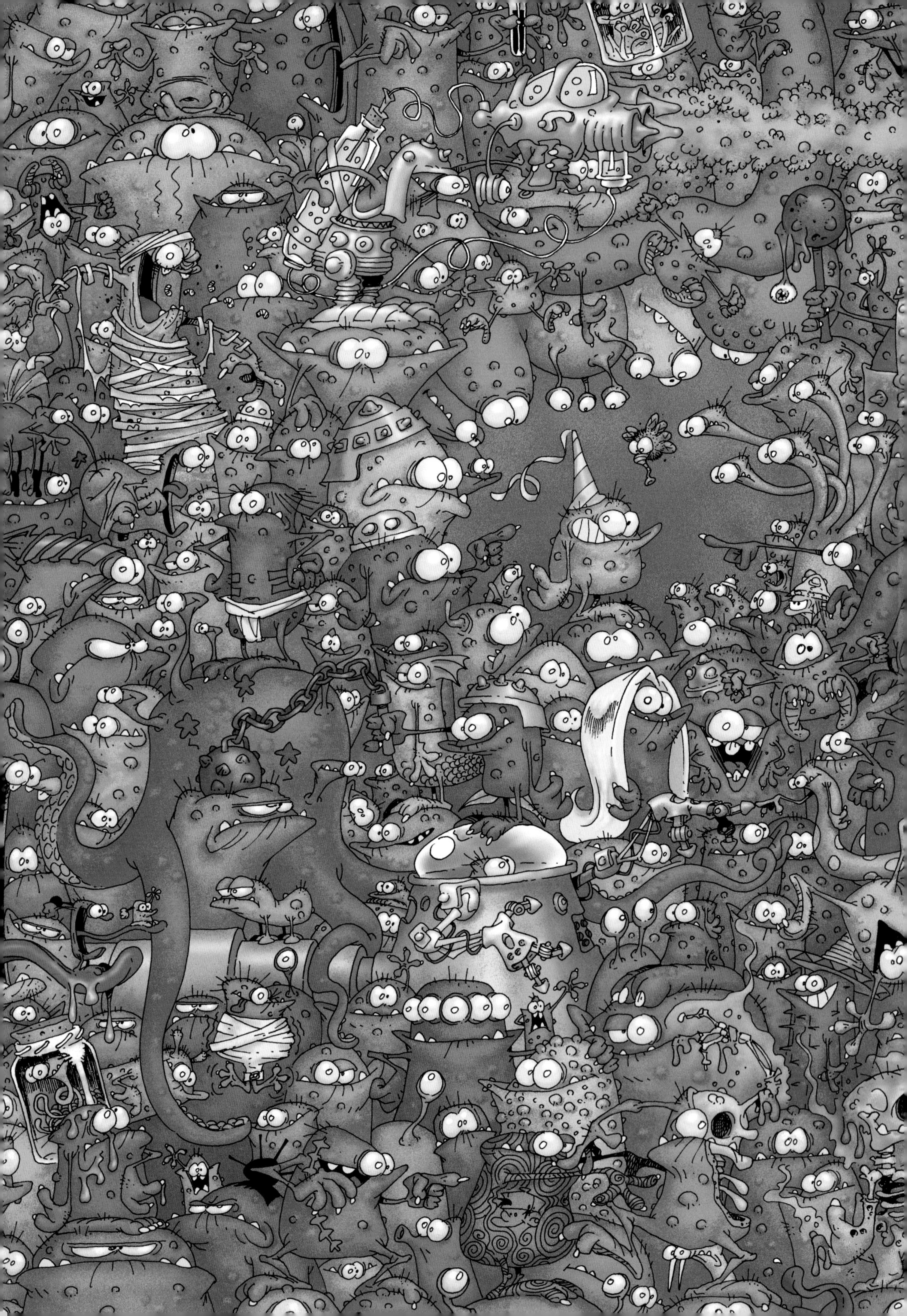